독각

문학연대 시선 05
독 각

초판1쇄 2022년 12월 21일

지은이 고재종
펴낸이 정용숙
펴낸곳 ㈜문학연대

출판등록 2020년 8월 4일(제 406-2020-000088호)
주소 경기도 파주시 헤이리마을길 24, 2층
전화 031-942-1179
팩스 031-949-1176

ISBN 979-11-6630-102-5(03810)

- 책값은 뒤표지에 있습니다.
- 이 책은 2022년 아르코문학창작기금 지원사업에 선정되어 발간된 작품입니다.

만든이들 편집공방, 허정인, 변영은

문학연대 시선
05

고재종 시집

독 각

너무 늦은 질문이어도 좋은가. 이만큼에 서서 저만큼의 강을 물으며, 묵묵히 바라보는 경우가 잦다. 예전 어디선가 보았던 시간이 묵어 목전의 강물로 오는 것 같다. 황혼을 지피는 새들은 귀소를 서두르는가. 나는 약간은 처연하게 강 끝을 응시한다. 나는 서둘러 달려가야 할 집이 없는 사람이 되기를 바라는 사람처럼, 나에게서조차 잠시 물러난다. 저 무심한 강물이 물어대는 무언가 반박할 수 없는 질문들로부터, 아무리 사소한 질문일지라도 어느 소설가처럼 수백만 페이지를 샅샅이 뒤지지 않을 수 없도록 자꾸만 절박해지는 이 황혼으로부터, 방금 눈앞에 무엇이 지나갔지? 아니 나는 지금 어디에 있지? 저렇게 강물은 하냥 출렁거리고 또 시간은 조각조각 깨져 일렁거리는 목전. 이것은, 이 아닌 것은 대체 무엇인가 또 묻는다.

2022년 세밑에
고 재 종

차례

제2부

제3부

제4부

제1부

푸른 장미의 노래
- 혼자 넘는 시간 1

혼자 있는 시간, 해거름의 방죽은 고요를 미는 바람과 떨리는 물결의 한량없는 조화 속이다. 그 속을 들고 나는 물총새며 저만큼의 산 위로 번지는 황혼의 자지러짐이 오늘의 만찬에 참예하는 것을 막을 도리는 없다. 내겐 거꾸로 든 산영의 그윽함만치나 시간도 잠기는 침묵을 익히는 이때쯤, 또 나는 방죽가에 일제히 나팔을 치켜든 노란 달맞이꽃 떼의 그 환한 나라에 닿기를 무척은 바라기도 했던 것인가. 그윽한 것과 환한 것이 애저녁인 양 섞이는 풍경이 내 속으로 들어와 나를 밝힌다. 나는 오늘도 푸른 장미라거나 붉은목풍금새라거나 그 꿈으로도 환치되지 않는 노래들과 마주하는, 다만 혼자 있는 시간이라네.

시간의 무늬
- 혼자 넘는 시간 2

혼자 있는 시간의 아침나절엔 텃밭의 상추, 고추, 가지를 가꾸며 시간을 잊는다. 혼자 있는 시간의 오후엔 책을 보거나 게으름을 피우며 나 자신의 시간을 넓힌다. 날것 그대로의 나와 갖가지 양념으로 요리된 나의 경계마저 지우다 보면, 어느덧 저녁이 연주하는 노래가 흐른다. 때론 뜨거운 차향 속에서 크레센도로 끌어올리는, 나 자신이 된 기쁨들을 톺아 내는 연주들. 지리산의 어느 숲속, 소나무가 둘러친 연못 속의 물고기는 소나무 그림자를 제 몸의 무늬로 지닌다지. 그처럼 시간 밖의 풍경으로 일렁이다가 반짝이다가 젖을 대로 젖는 나의 심금과 또 궁구는, 나는 나도 아닌 채로 시방은 치자 향기가 번지는 고요에 든다.

솔새의 연주를 들었다

- 혼자 넘는 시간 3

방금 듣기론 단박에 오솔길을 관통하는 작지만 높다란 새소리. 처음인 듯 그 소리에 문득 길이 휘청하네. 밤톨만 할까 화살나무군락 속, 생귤빛인가 가시들 엉킨 사이, 너무 작아서 더 크게 울리는 팔락거림. 보이지도 않는 무언가 이 야무진 것의 일격이라네. 하도나 맑고 밝아서, 애절한 바가 있어서, 무방비의 산행을 전복하는 관능의 현몰. 일렁이는 잎새 바람 속 그 어디 다른 세상으로 유혹하는 비밀의 호명. 또 한 번 작지만 높다랗게 울자 일파만파 환해지는, 다만 눈 시린 한적이네. 순간 눈앞을 스치는가, 진록의 깃털? 반짝 빛났던가, 노란 줄무늬 머리? 나는 보이는 것도 보이지 않는 것도 아닌 나라의 처음을 여는, 솔새의 연주를 들었다.

댓잎귀신들이 수묵을 친다
- 혼자 넘는 시간 4

　바깥을 닫아건 고요와 나의 내부를 들여다보는 침묵이, 마주 앉은 시간의 창에 어른거린다. 창으로는 잊을 만하면 스며드는 밤새 울음, 그만큼이나 하나의 세계를 갈구하는 병은 내 상처를 먹고 자라는 수정난풀과도 같다. 그것은 또 우울한 몽상 위로 치켜든 염화미소처럼이나 기어코는 닿지 못하는, 세계의 무한거울 방! 꿈꾸는 사람은 결코 자신을 벗어나는 일이 없다는 듯, 마지막 구슬마저 첫사랑의 빛처럼 멀어져 버린 칠야삼경이다. 이때쯤 창에는 댓잎귀신들이 수묵을 친다. 사람에게 인생의 극적 순간을 찾고자 하는 본능은 아직도 있어서, 그 귀신들을 쓰는 달이 비춰들면, 내 불면의 붓은 또 무슨 생각을 세워 귀신들을 달랠까.

장미와 롤리타
- 혼자 넘는 시간 5

선홍빛 투구 같은 것을 쓰고는 담장을 넘어온 진군이 향기의 붉은 진동이다. 그것이 칠통 같은 침묵을 깨고 아침 빛살 아래 드러나는 데는 맑은 이슬 세례와 그 빛깔 그 향기의 처음인 우주를 직관해 내는 시인이 있을 뿐. 나는 예전에 한 처녀아이를 사랑한 적이 있었다. 그가 나를 만져대는 맨 처음 그냥 크게 데어 버렸다. 그 화상이 얼마나 큰 것인지 사는 동안 몰핀으로도 진정이 안 되는 통증이라는 걸 당시엔 몰랐었다. 하지만 나의, 앞선 혹은 이후의 영원한 침묵을 뜨겁게 탈출한 그 순간의 노래는, 고통이 부른 황홀이라는 데 담장 위 장미 군단도 동의한다. 장미 앞에서 시쳇말로 멍 때릴 수밖에 없는 이유다.

연두와 초록 사이

- 혼자 넘는 시간 6

연두 초록의 요원이다. 걷잡을 수 없다. 멧비둘기는 너무 설레서인지 되레 구슬픈 배음을 깐다. 고요와 더불어 이내 초록은 청량 만 리로 일렁이는 사이, 덩굴장미의 선홍빛은 그 원색으로 가장 뜨겁고 그 눈부신 것으로 가장 처절한 사랑의 강령을 일깨운다. 자칫 어긋나서는 영영 제자리를 잃어버린 시간들이 있었으되, 초록은 진초록으로 점점 더 엄중해지곤 했다. 그 사이에 또 소쩍새가 울고 그 파장으로 하늘의 운판이 저만큼 밀린들, 고양이는 그만 박새 한 마리를 낚아채 버렸다. 이때쯤 마음은 늘 가 닿지 못하는, 가 닿았는데도 머물지 못하는 길 끝의 바람. 나만을 위해 예비 된 날의 화목제는 초록의 사제들이 집행하리라. 한 번도 노래해 본 적 없는 생의 고갱이 같은 시구들이 간혹 초록바람으로 일렁인다.

유일한 유혹
- 혼자 넘는 시간 7

　누구도 정복해보지 못한 유일한 유혹은 혼자 있는 시간이어라. 옛 책에, 대 그림자 섬돌을 쓸어도 티끌 한 점 일지 않고, 달이 연못 속을 비추지만 물에는 흔적이 없다 했으니, 순창할매는 대문가에 만발한 과꽃들을 어르며 만면에 짓는 함박웃음이 그대로 꽃이다. 지난여름엔 뻐꾸기가 떡국 떡국 울어서 떡국새라거니, 풀국 풀국 울어서 풀국새라거니 우기기도 했다. 하지만 혼자 있는 시간엔 혼자 있는 시간도 없어야 한다. 씨르래기 씨릉씨릉 베를 짜도 베라곤 한 필도 없이, 누구도 정복해보지 못한 유일한 고독은 오동잎 떨어져 내리는 공중의 자취! 추석에 온 자식들 다 퍼주고 혼자 식은 밥에 찬물 말아 마시는 순창할매의 개운한 속 같아라.

고양이 묻어준 자리에 봄까치꽃
- 혼자 넘는 시간 8

　우리 몸의 세포는 날이면 날마다 죽고 다시 생기며 7년마다 완전히 교체된다고 한다. 우리는 우리 몸 안에서 죽고, 그 죽음을 넘어 죽음으로 다시 사는 것이다. 그 죽음은 우리가 끝까지라도 사수(死守)할 것을 사소(些少)한 것으로 만든다. 그 죽음은 고통을 탈출하는 것이 아니라 고통으로 삶을 피운다. 그 삶은 그래서 지난해 난산 끝에 죽은 고양이 묻어준 자리에 봄까치꽃을 가득 피우기도 한다. 하긴 그 고양이가 잘도 낚아채던 박새며 까치를 나는 종종 애도한 적이 있다. 산다는 말이나 죽는다는 말, 그다음 목놓아 울지도 못한다는 말들이 사방의 산야에 꽃수를 놓아 화엄 궁륭을 세울 날이 있으리라.

독각
- 혼자 넘는 시간 9

　몇 날 며칠을 두고 경향 간에 기별 한 점 없네. 한때는 고독의 용기를 꿈꾸었으니 푸른 안목을 반짝일 만도 하네. 반짝이는 건 지난봄 감꽃 졌던 자리에 알알이 매단 주먹송이들, 오늘의 일기는 쾌청하네. 누가 시키잖아도 자가 격리된 날들의 반복이라네. 이때쯤 죽순장아찌에 잡곡밥 먹는 점심의 습관은 망각을 이겨내는 지복이 아니던가. 산방에 들락거리는 바람엔 뼈를 말리고, 동박새서껀 저 울고 싶을 때 와서 울고들 가라지. 다만 괴로움의 민낯 같은 건 작년 폭우에 생채로 찢긴 석류 가지들. 정색하고 보면 끔찍한 얼굴일진대, 남은 가지에 터진 석류 속 그 맑고 붉은 보석들은 가령 독각의 사리라고나 할까.

호접몽
- 혼자 넘는 시간 10

혼자 있는 시간에 들어선 고요의 밀림이 연두초록의 장막까지 쳐버리면 보던 책의 글자들이 나비되어 떠오른다. 그 나비 텅 빈 마루 끝에 앉고, 그 나비들 마당을 선회하고, 그 나비 떼 장다리꽃밭에선 무척은 나풀거리며 마치 제 세상 만난 듯한 나비. 노랑나비 범나비 왕오색나비랑 가지가지 남실바람을 타며 갖은 재조도 마다하지 않는 나비. 나는 그 어린 경이가 반짝이는 세계를 좇다가 설핏 졸곤 했는데, 깨어 보면 어깨에 앉아 꿈을 잣던 나비. 세상 속 아주 작은 어느 한구석에조차 숨 쉴 수 없었던 사람의 외로움조차 꽃잠을 재우더니, 지금은 다 어디 갔을까. 저만큼 아지랑이를 헤쳐오던 오색 찬연했던 나라의, 그 절판된 몽상들!

풀섶이라는 곳
- 혼자 넘는 시간 11

    누구에게나 어린 날 뜰에다 몰래 물 주어 키운 산돌을 내주어도 아깝지 않은 추억 하나는 있는 법. 가을의 발길을 이리저리 끌다 보면 씨르래기 소리가 뚝뚝 잠잠 그치는 풀섶인데, 씨릉씨릉 한 풀줄기 여린 초록 투명으로 올라앉아서는 바르르 바르르 공명시키는 풀섶인데, 씨르래기만이 아니라 그 소리에 겨워 숨어든 한 쌍의 신령스런 짐승이 있어서, 방금 쏜 미음 위에 금세 어리는 얇고 여린 막 같은 마음까지도 차마 떨리게 하는 풀섶인데, 떨리는 떨리는 그 소리로 한 곡조를 꿈결처럼 허밍하기도 했던 곳, 그 곡조의 편집은 들국 향기가 맡았었지요.

어느 화가의 노랑꽃창포 정원
- 혼자 넘는 시간 12

　일곱 개의 연못에 노랑나비 떼가 수백 수천만 넘실댄다고 했습니다. 밤이면 맹꽁이들이 온밤의 울음으로 발전(發電)하여 물버들숲 그 울울한 것을 밝히는 알전구 떼라고도 하고요. 계절의 빛을 닦는 손이 형형하게 닦아놓은 오월의 앙상블이라고도 했습니다. 다만 그 연못 끝 간 데 없는 노랑꽃창포 밭의 날비린내 속에 놓인 자그마한 나무의자! 그 위에 하루에도 몇 번씩이나 넋 놓고 앉았다 가는 것이 바람이라든가 찬란함이라든가, 그 신령을 아는 자는 불멸의 시간을 홀로 짓는 화가의 붓 말고는 없겠지요. 때마침 환하게 곁드는 곤줄박이와 함께 어느새 많이도 젖어버린 빛깔과 향기의 마음들. 거기에 뒤늦게 도착한 영혼이 천지간에 꽃 피는 일을 연주하기엔 너나 나나의 몸이 너무 많이 열려버린 뒤였습니다.

초록 고요와 함께
- 혼자 넘는 시간 13

텃밭의 고춧대를 좀 손보아도 나는 한가하네. 뒷산 숲에서 나온 고라니가 그 초록의 전언을 마구 퍼 나르는 산천경개의 광휘라니! 이렇게나 무궁한 마음이 드는 날이면 매실주 한 잔에도 잎새들 반짝 뒤집는 일조차 무진하다네. 나는 나를 알고자 책을 읽고 나를 찾고자 시 몇 줄을 썼으나 이쯤 해서는 낙과의 청시 한 톨만 하겠는가. 다만 그 시구들이 어느 날 진리의 상형문자를 나툴 때까지, 반짝이는 초록과 함께 우주의 피륙을 짜는 일에 게으르지 않았으면 하네. 그 초록의 고요 떼가 우글거리는 산방이라면 열나흘이나 열엿새쯤의 발정난 달도 밤이면 몰래 들일 참이네. 먼 데 있는 아내에게 일러바칠 산꿩이는 아닐 것이네.

바람과 함께 숲길을 걷는 일에 대하여
- 혼자 넘는 시간 14

　가진 거라곤 발걸음밖에 없어서 그 한가한 것을 척도로 삼는다. 오늘은 솔바람과 구름나무의 빛에 들려 숲 차원으로 돌아가는 길, 나는 어느 때부터 사람이고, 어디서부터 숨 닿는 나날이었던가. 이곳에선 게으름이나 빈둥거림도 삶의 한 방식이라서, 마구 쏠리곤 하는 억새밭에선 방황하고 표류하며 바람을 낳아 볼 수도 있지.

　그 바람 페이지를 넘기며 서글픈 인생을 고찰해 보지만 동안거에 든 나목 한 그루 해독할 수 없다는 건 오래된 진실. 일평생 호명 한번 받지 못한 것들로 묵은 오솔길을 열어젖히니, 쓸쓸한 것들은 오소소 가랑잎 밭에 모인다. 늘 시간을 세는 이의 계절이 보다 나쁜 시기에 보다 빠르게 버석거리는 그런 생일지라도, 길목의 산다화 몇 점은 서릿바람에 씻긴다.

　이때쯤 때도 아닌데 멧비둘기 구욱국 울어댄다면 때로 적막보다는 그리움의 몽리면적을 넓혀 본들 어떠랴. 판독하다 놓친 사랑과 같은 저 마애불 위로 나는 날다람쥐여, 내가 삶에서 유일하게 배운 것은 고독이었다. 오늘의 야생이 시처럼

꼬이는 숲속 호수를 헤엄친 적도 있긴 있어서, 바람에 뼈를
말리며 숲의 길을 닦는다.

고요를 배우다
- 혼자 넘는 시간 15

고요를 표현한 '靜'이란 글자는 푸를 '靑'과 싸울 '爭'을 대 붙여 놓은 것이다. 고요는, 진정한 고요는 두 청춘 남녀가 알 몸 사랑 행위를 미친 듯 치르고 쌍방이 똑같이 복상사 같은 오르가슴에 도달하고 나서 형성되는 것이다, 라고 한 소설가 는 말씀하였다. 그때쯤 담장의 생생 능소화가 염천을 탐할 때, 하늘 한쪽이 출렁이다 잠시 자물 쓰는 고요를 본다. 고드 름장아찌 같은 나도 비장해져선, 마음조차 해석하려 드는 마 음의 치열한 덫을 벗으면, 일평생 건져온 빈손과 벙어리를 완 성할까. 그 고요가 빚어낸 휘파람새 소리는 다만 무궁하네.

제2부

나의 원음(原音)

저녁바람 일렁이는 대숲에
서걱서걱
별빛 듣는 소리,
대숲 밑 샘가에
들에서 늦게 돌아온 어머니
싹싹싹싹 쌀 씻는 소리,
고단한 하루를 마친 까마귀 떼도
까악까악
대숲에 깃드는 소리,
어두운 부엌
아궁이에서는
활활활활 잉걸불 타오르는 소리.

봉창이 밝아진다

장독대의 장독 서너 개가
봉창 앞에 놓인 집
토방에 강아지 한 마리 없다

해 떨어진 지 오랜데 기척이 없어
이장이 돌아보러
녹슨 대문을 바삐 넘는데

그때 마침 배시시
베적삼 빛,
봉창이 밝아진다

어머니들은 한 번도 지지 않아서
장독 위로 우주의 눈이 쏟아진다

여인들의 먼 데

반백여인의 어깨에
한 뼘 뒤의 백발노인이 손을 얹은 채
열린 대문 앞 평상에 앉아 있다

그 눈들은 조금은 먼 데
앞산을 향해 있다

달포 전 그 산에
반백여인은 남편을 묻고
백발노인은 아들을 묻었다

사람은 누가 누굴 위로할 수 있을까

보랏빛 향기

하늘의 청람에 자줏빛 놀을 섞는
해거름의 묘한 붓질이라 여겼더니
연못가에 흘린
붓꽃 몇 점

혼자 있는 시간엔 환하게 보인다
세상의 팽팽한 고요를 여는
몇 점 보랏빛

혼자 있는 시간엔 말도 없이
몸 구석구석을 만지는
보랏빛 향기

뻐꾹새소리는 너의 침묵이 빚은 운율이다

장미의 천지간

이슬에 담뿍 젖은 선홍빛 정도면 그중 윗길일까

함초롬히, 라는 말을 꺼냈으나
가만두어도 저절로 터지는 첫 순결의 진동으로
사방천지 묻어나는 꽃 비린내의
무한 만행(滿行)

이승에서는 차마 다 쓰지 못한 열정 때문에
장미가시에 찔린 누군가는 시인이 되었다

구증구포

겨우내 은침으로 밀어올린
곡우 전 잎을 따서는
아홉 번을 찌고
아홉 번을 말린
그 첫 우주를 마신다는
그녀의 말은 자못 진지하다

그녀의 연둣빛 맑은 찻물은
그녀의 수중 궁전
그녀의 선정(禪定)

이 낯선 과잉에 놀라서
나는 추녀끝의 새소리를 받는다

낙관

병든 먹감나무를 켜보면 속에 검은 물이 번져 있다
그걸 묵화 삼고 목판 윗녘에 다만
화제를 붙이는 화가여

나는 매화 가지에 걸린 보름달 밑에
보름달을 가로지르는 삭금(朔禽)일가 밑에
삭금 일가는 더욱 그 면적을 넓혀가는
아무도 서명하지 않은 고요 밑에

붉은 낙관을 찍는다

한 뼘 고요

쓰윽 훔치는 네 붉은 입술이 탄성으로 열리며
시간의 새로운 육체를 낳는 날이 있었다

빛이라면 양귀비꽃빛일까
날리는 양귀비꽃잎일까
날리는 꽃잎을 낚아채려고 하늘이 출렁할 때까지

마루에 혼자 튼 결가부좌의 오늘은

가장 뜨거웠던 것도
가장 처절한 것도
꽃양귀비 피고 꽃양귀비 지는 사이의 한 뼘 고요다

눈 밑에 낀 그늘

비 오자 이 빠진 확독에 빗물 고이는 고요
맨드라미꽃 붉은 빛에 스미는 고요
개집의 누렁이는 뚱한 눈으로 빗줄기 센다

쪼르륵 따르는 찻잔에서
모락모락 향기 오르는 고요
눈 밑에 낀 그늘로
더욱 깊어지던 눈동자의 고요

나도 모르게 가만히 불러본 너의 노래는
차마 희미하여서 빗소리에 묻히고 말았다

풍경의 말

마을 표지석과 솟대가 서로 눈짓을 하는 사이
기러기는 가고 동부새는 불어오는
길목에서 풍경이 말을 하네요

돌담 옆에서 산수유가 펑펑 튀어서
산수유가지 사이 직박구리가 쌩쌩하게 울어서

삶은 이미 해방되었다고, 다만 모를 뿐이라고

환한 이승

침묵은 여수 오동도에서 동백꽃 터지는 소리

그 붉은 사자후를 형형 토하면
숫제 바다는 은구슬 밭을 뒤채어서
갈매기들을 쌍쌍파티로 초대하는, 환한 이승

노래라면 노래 아닌 것이 없는 날도 있으니
내 먼저 사랑을 고백해본 적 없는 나도 터진다

휘파람새 소리는 청량하다

한적한 숲길, 휘파람새 소리에
나뭇잎들 일순 귀를 모아 고요다

다람쥐가 상수리를 까듯
누구에게나 삶엔 목적이 있다, 거기에
의미의 씨앗을 심는 것은 자신이라고 말하는
인생론들의 류색을 벗고 앉는 자리

발끝에 걸린 백리향의 향기를 탑재한
휘파람새 소리에
나는 바람자락을 여며 고요다

내게 경쟁과 속도의 시간은 관념이었다
내가 하찮거나 사소한 만큼의 내 크기로
숲길에서 개암나무 열매 몇 개를 주우며 듣는
경이의 전언이란

특별하고 참된 삶에 대하여 따지지 않는
휘파람새 소리는

다만 청량하다는 것

말할 수 없어 말하지 않는 사랑과
외롭고 쓸쓸한 숲길은 여기 있어 고요다

은방울꽃 어사화

무심코 숲길을 걷는데
문득 순백의 은종이 조랑조랑 달린
은방울꽃 천사가 눈앞이다
바람자락에 나뭇잎 일렁이듯
나는 목적 없이도 생 하나로 느껍다

여기의 나, 저기의 나에게
고라니의 순한 눈망울
위의 나, 아래의 나에게
숲을 쪼는 딱따구리 소리
지금의 나, 내일의 나에겐
산영이 잠기는 푸른 호수

은방울꽃 맑디맑은 향기가
코끝에 스치는, 바람 부는 날
여기 온통 생생한 나는
나 없이도 모두 나다

이런 날, 24시간 멈추지 않는 공장을 끄고

직원들과 함께 산행을 결행한 사장에게는
은방울꽃 어사화를 증정해야 할 것,

무심코 걷는 숲길을 무심히 걷다가
쓸모없는 일의 비밀을 조금은 눈치챈다

대지의 초록기둥 노래

나무는 포기할 줄을 모른다
소나무, 참나무나 동백나무나
나무는 하나같이 단순하고 눈부시게
치솟는 놀라운 충동으로
대지의 수많은 비밀을 끌어올린다

대지의 뜨거운 말을 전하려고
감 대추 사과나무도 이름을 벗어버리면
나무 아닌 게 아닌 것을 알려주려고
그 설레는 초록 잎새의 일렁임
그 씩씩한 초록 기둥의 순수함으로
나무는 지칠 줄을 모른다

하늘은 고요하고 바람도 잔잔할 제
시퍼런 만행 하나가 숲을 휘젓는 시간의
톱날에 묻어나는 나무비린내
초록의 피 낭자한 대지의 열기에도
나무는 한결같이 단순하고 눈부시게
숲을 흔드는 라일락의 기적을

베어도 베어도 다시 솟는 불가사의를
이제 가만두고 보라고 한다

우듬지로 솟구치는 신의 푸른 분수
우듬지 위로 흐르는 구름의 자유 항로
저녁이면 반짝이는 별들의 노래와 함께
기적이 오는 것을 보라고
기적은 이미 네 곁에 머물러 있음을 보라고
나무는 감히 쓰러질 줄을 모르는
고요하고 찬란한 대지의 초록기둥이다

나무와 새

나무는 가끔 새에게서
길을 차용하여
그리움과 꿈의 연대기를 써요

나무는 외로워요 새푸른 하늘
나무는 굽어봐요
강물의 유장한 노래
마을은 이제 먼 전설을 불러들일 거예요

나무는 계절의
새들이 물어다 준
목에 두른 구름을 생각해요
어둠이 매달아 준
별들의 침묵은 영원과 같이 희미해져요

나무는 빗속에 길을 떠나요
새들의 젖은 날개는
나무의 우듬지가 쏘는 꿈을 물고
먼 허공까지 바람의 길을 날아요

나무의 오랜 유목은
가지 사이에 새들의 집을 내어준 때부터

일렁거리는 건 바람의 무늬
반짝이는 건 햇빛의 설렘이에요

제3부

동짓날

툇마루에 햇볕을 깔고 앉아 고양이들 밥을 주니
그냥 잘 먹고서는 이리 비비고 저리 뒹구는 재롱이다.
멀리 있는 자식보다 낫네 하다가, 대문 쪽으로 귀를 살핀다.

천권독서를 해서 누가 배움을 청하나,
연애질이 처절해서 옛님들이 찾아오길 하나,

돌아보면 눈물만 난다고, 어제 망백의 뒷집 할매가 말했다.

현장 소장 미장이 신충섭

그는 얼굴 어디 구릿빛 세월 아닌 데가 없었다. 호기롭게
웃을 때마다 이빨만 하얗게 빛났다. 사기 안 치고 남의 것 탐
내지 않고 오로지 적수공권, 온 나라 집들을 미장(美粧)했다고
했다. 툭툭 불거진 핏줄과 쇠심줄 같은 근육만으로 깡마른 몸
의 제국, 햇빛에 번들번들 빛이 났다. 그 어렵다는 서울의 집,
두 자식의 취업, 이만하면 괜찮은 인생 아니냐는 것이었다.
그러는 눈빛은 막 딴 포도알처럼 형형했다. 세월도 누그러뜨
리지 못한 빛이었다. 그가 뻘때추니 같은 것을 벗자마자 홑
잠바로 떴던 고향, 휴가차 돌아와 돌담 넘어 대추 몇 알 땄다
가 혼쭐이 난 기억에까지 만면이 환해졌다. 40년 미장이 인생
을 풀어놓는 데는 날밤이 구구절절 팽창했다. 쌩쌩했다. 다만
노동이 삶의 지식이었다고 명토 박곤 했다.

일귀신 장전댁

허리가 평생 써온 호맹이로 굽었다. 무릎은 돌밭에 삽날 부 딪는 소리를 냈다. 밭은 숨결, 밭은기침 소리는 노루 꼬리만 한 여생을 재촉하고도 남을 여든세 살 장전댁. 지난 일 년 내 내, 효자 아들 덕에 광주에서 인공관절 수술, 서울에서 디스 크수술 받느라 병원 밥을 먹었다. 퇴원하자마자 엉금엉금 고 추밭으로 기더니 고추 모종을 놓고, 또르르 콩밭으로 구르더 니 콩 순을 질렀다. 그것 가꿔서 거둔 이문보다 병원비가 더 들어간다고 혀를 차는 이웃들에겐 되레 역정을 냈다. 일이 뼈 에 백혀 일을 하지 않으면 더 아프다고 했다. 오늘도 불끈 들 어서 에어컨 앞에다 앉히는 아들네 자동차가 길모퉁이를 돌 기도 전, 허리에 팔자(八字)를 두르고 무릎엔 귀신(鬼神)을 찬 채 텃밭으로 기고 구르는 장전댁을 누가 말리랴.

별에 대하여

멀리 아득했지만
별은 늘 머리맡을 지켰었지
지친 어깨, 무거웠지만
고개 숙여 스스로를 먼저 보게 했지

구리반지 하나 못 건넨
연애의 궁핍하기 짝이 없는 청춘과
복리 돈 털고 나니 체곗돈 몰려오듯
중년의 실업 끝엔 아내의 암투병,
허리가 굽어 더는 허리를 못 펴는
당산나무 밑, 그 꼽등이에 진 노년으로
고개 숙일수록 더 숙어져
썩어 문드러진 가슴팍만 쓸어댔지

더는 올려다 볼 수 없는
별들의 용도가 폐기될 즈음
비루해서 더 절실한 목구멍으로
형형한 눈동자를 삼켜 버린 양심과
말목을 돌다가 제 꼬리를 물어뜯는 개처럼

있지도 않는 마음만 후벼 파는 마음,
보름 만에 시신으로 발견된 어느 시인의
전망도 좋은 옥탑방 같은
조심누골(彫心鏤骨)의 시간은 흘러만 갔지

흘러만 갔지 시간은
멀리 아득한 별이 되었지
지치지도 않던 청춘의 수음처럼
지치지도 않던 꿈의 지독한 애무 끝에 얻은
이름도 빛도 없는 별, 이라는 이름 하나

허공

까마득한 한 점과 같이 사라지는
타워 크레인의 허공으로
별을 따라 올라간 사람이 있다
달은 한 개라서 독점할 수 없다

빵은 지상에 있다
물은 지상에 흐른다
밤이면 우듬지에 매달리는 별보다
더 높은 별을 따려는 걸 누가 막으랴

그는 꽃처럼 치열하다
꽃은 스스로의 생식기를 활짝 열고
가장 좋은 빛깔과 향기로
벌나비를 끌어 모은다

그는 불처럼 순수하다 불은 가능한 한
타오르거나 태워버릴 것이다
나에겐 동백꽃이 뚝뚝 지는 밤
자청의 밤이 있었을 뿐이다

어둠과 다붙어 가장 치열하게
어둠을 밝혀서 가장 형형한 별들은
어둠과 함께 다만 허공이 아닐 수 없다는 것,

밧줄에 매달린 빵과 물이
한밤에 타워 크레인의 허공으로 올라간다

순한 황소

하필이면 할멈이 서울 손주 돌잔치 갔을 때 뇌경색으로 쓰러진 본촌양반. 밥때에도 배를 채우지 못한 축사의 소들이 떼로 울어대는 바람에, 이웃할매가 이상히 여겨 그 집을 찾았다가 마침 발견한 본촌양반. 부랴부랴 119로 옮겨지긴 했는데, 설상가상 병원에 코로나 감염자가 생기는 바람에 서울서 급히 내려온 살붙이들, 병원 입구에서 발만 동동 구르게 한 본촌양반. 그래도 산목숨은 살아야 한다고 부인은 부랴부랴 집으로 돌아왔다. 돌아와선 이 고을 저 고을의 생매장 대참사 때도 살아남은 소들, 아침이면 평생직장 출근도장 찍게 하던 소들, 더더욱 영감님 목숨 살리게 한 소들에게 뭉텅뭉텅 먹이주는 동안, 한 달여 만에 눈만 끔벅거리며 깨어난 본촌양반. 어쩜 그대로 한 마리 순한 황소가 돼 버린 본촌양반.

날다람쥐

　나이 팔순에도 그의 발은 날다람쥐처럼 날랬다. 오늘은 노루뫼에서 두릅을 꺾고, 어제는 병풍골에서 고사리를 꺾었다. 또 하루 아침나절엔 참취나물, 오후엔 엄나무 순. 먹이를 본 매가 목표물을 놓치는 법 없듯, 그의 밝은 눈을 비껴가는 나물은 없었다. 꽃들이 붉은 피를 토하고 초록은 온 산을 점령해가도록, 그는 다만 마당에 솥을 걸었다. 나물을 삶아선 집집에 돌리는 발 또한 날다람쥐처럼 날랬다. 뒷집 상노인 집엔 참기름으로 무친 취나물 한 사발 건네고, 옆집 담 너머로는 "옛수 일촌댁! 초장 찍어 군둥내 나는 입 한번 씻어보소" 하고 두릅 한 자밤 건넸다. 앞집 귀농인에게도 갈치 지져 먹으라며 보낸 고사리 한 사발. 그러고도 남는 게 있어 읍내 장에 가는, 노인의 굽은 등짐 위로 불여귀, 불여귀 울음 하염없다.

노래뿐인 인생

요새 미스트롯 송가인이라는 가수가
마을 앰프에서 해종일 공연을 하면
청승은 늘어 가고 팔자는 오그라지는 인생들
서럽고 분한 마음이 봄눈 녹듯 녹는다네
미련 없다 그 말이 진정인가요
냉정했던 그 마음이 진정인가요
목은 메고 가슴은 패이고 오금은 저려서
콩 순 지르다가도 울고 민화투 치다가도 운다네
한때는 이미자 주현미 장윤정
아니 한때는 남진 나훈아 송대관까지 나갔는데
시방 이미자 뺨치는 트로트가 나왔다고
노래는 역시 청승맞은 것이 최고라네
궁상스러운 것이 청승이 되고
처량한 것이 청승이 되고
측은한 것이 청승이 되어
청승은 늘어 가고 팔자는 오그라지는 인생들,
잡기도 하고 놓기도 하는 변덕스런 그대 장난 앞에
만나면 그냥 무너지는 이 마음을 알고 있는 당신이며
까짓 자식도 저승사자도 저만치 잊어버리고

우리 인생 이제 노래뿐이라던 인생들,
일락서산 해 떨어져도 귀가할 줄 모른다네

마을회관의 텅 빈 달빛

공간이 공간인 것을 느낄 때는
그곳이 텅 비어 있을 때다.

김치찌개 한 냄비에
여남은 개의 숟갈이 들락거리던 그곳에
아직도 물큰 끼치는 노인들 특유의 냄새,
기름 닳는다며
보일러를 끄고 켜고 하다가 다투던 그곳에
방안 가득 웅성거리는 냉골 기운,

이녁 검사 아들 자랑에
일자소식 없는 막내딸 때문에 울고
송가인의 노래라면 민화투 치던 것도 관두고
오금을 지리며 떼창하던 그곳에
적막이 제 스스로 놀라 일어선다.

유모차를 밀고
전동 휠체어를 타고
읍내 병원들을 순례하고 돌아와선,

선산댁 선산으로 간 뒤 팔린 땅에
비까번쩍 새집 짓고 들어온 광주사람이
마을회관에 떡 한 조각 안 돌린다고 성토하던 소리,
앉고 일어설 때면 뚝뚝
관절들 꺾이며 진저리치던 소리,

적막이 적막으로 몸서리치는
코로나로 문 닫은 노인당에
달빛만 교교할 뿐,

언젠가 우리들 떠난 자리에도
천정을 무너뜨릴 듯 내달리고 내달리던
쥐새끼들의 난동 하나 없으리라.

촌극(村劇)

    머리에 챙 넓은 모자를 쓰고 얼굴은 마스크로 덮은 채 헐떡였다. 화살처럼 내리꽂히는 뙤약볕, 숨이 컥컥 막히는 지열에, 혼자 일하는 산밭에서 마스크는 왜 쓰냐고 해도 나라에서 죄다 쓰라고 했다는 장성할매, 그 마스크로 덮인 얼굴로 마치 폭염의 용광로를 굴리는 벌이라도 받는 듯 운명의 하루를 굴렸다. 그 하루가 깜빡, 영원이 되어 버리려는 찰나 휴대폰 울리는 소리에 눈을 뜨니, 온 얼굴에 마스크를 쓴 의사와 간호사가 내려다보고 있더란다. 마침 연락을 받지 않는다는 서울 자식 전화에 부랴부랴 산밭으로 달려간 이웃에게 발견됐기에 망정이지, 마스크가 그대로 주검 덮는 천 조각 될 뻔했다고 모두 웃었다. 그 농담에 집으로 돌아온 장성할매, 마스크라면 마스크는 보는 족족 잘라 버리니 모르는 사람들은 몰라도 노망났다고 하리라.

얼굴 없는 인간

김장하는 데 서울에서 손 보태러 온 효자 때문에 난리가 났다. 마을 사람들 말로는 일가족 모두가 어디론가 잡혀갔다고 했다. 함께 김치를 비비던 이웃 할머니들도 꼼짝없이 끌려갔다고 했다. 마을회관에선 사이렌이 울려 퍼졌다. 부랴부랴 출동한 보건요원들의 강압적인 호출방송이 이어졌다. 논에서, 콩밭에서, 축사에서 모두 불려나와 강제검사를 받았다. 너도 나도 서로 경계를 했다. 그토록 살갑던 이웃들이 서로를 몹쓸 병자 보듯 했다. 마침내 마을회관이 폐쇄됐다. 노인들이 함께 밥해 먹고, 함께 민화투치고, 함께 노래하던 것이 폐지돼 버렸다. 끌려간 노인 한 분이 죽었다고 했다. 대면도 제대로 못하고 비닐 속에 밀봉된 채로 곧장 화장장으로 사라졌다는 소문이 돌자, 모두들 티비를 끼고 살며 비깜을 안 했다. 노인들이 혼자 있는 방안에서조차 마스크를 쓰고 사는 바람에, 그 늙고 졸아든 얼굴마저 폐지돼 버렸다.

그의 양식은 고통이었다

육십여 평생 아파트 철근 공사를 한 그는
육십여 평생 소유해 보지도 못한 아파트 옥상에서
자기가 이 세상에 더는 필요치 않다는 생각과
자기의 삶에 더는 의미를 느끼지 못한다는 것을 깨달았다
파킨슨병과 치매를 앓던 중 잠깐 정신이 들었을 때

육체노동의 허기를 시로 채웠던 그처럼
나는 몸뚱이처럼이나 아끼던 일천여 권이나 되는 책을
쌓아놓고 성냥을 그어대던 때가 있었다, 원죄란
남들 잘 살고 있는 이 세상에 내가 태어났다는 것이라는
한 유명 작가의 글을 읽고는 고개를 끄덕이며

벽에다 커다란 원을 하나 그려 놓고
그것을 똑바로 보는 척하면서 고개를 떨구고
그것의 진면목을 찾는 척하면서 자꾸 먼 데를 보고
그것의 절규에도 자리를 뜨는 짓을 해왔다 하자
그것을 똑바로 보기엔 너무도 끔찍해서라는 변명과 함께

그가 현장에서 돌아와 씻지도 못하고 엎어지던

고독으로 너덜너덜해진 시트 위에, 나는 슬픔까지 더해서
이제 될까 말까 한 사랑 행위에나 골똘한 사람처럼
아직도 나를 벗어나지 못하는 나를 울어댈 때
잠깐 정신이 든 순간, 그는 자기를 벗는 용기를 내버렸다

암전

할머니들만이 할딱이는 6인 병실 창밖
노역을 마친 하루가 벌겋게 녹스는 하늘로
삐거덕삐거덕 날개를 삐거덕거리며
까마귀들의 계절이 끼어든다
치매 말기로 자식도 못 알아보는 할머니는
배식반의 밥공기를 얼른 하나 더 챙겨 품에 감추고
생쥐만한 눈알을 좌우로 굴리며
마지막 사생결단으로 내놓지 않을 태세다

6인 병실 창밖은 곧 암전되고
나는 거기 텅 비어 소슬하니 조금 더 있었다

묵상

등뼈해장국을 시켜놓고
그것이 마치 성스러운 일이라도 되는 듯
이마며 목의 땀을 연신 훔쳐가며
등뼈에 붙은 살을 발라먹고
등뼈를 우린 국물을 마시고
등골마저 죄다 빼먹고
급기야 상 위에 수북한 등뼈 조각을 바라보며
잠시 묵상에 잠긴 듯한 해골노인이여

이렇게 뜨거운 해장국집에선
곧잘 폐허조차 사라져버리곤 한다

겨울 정자나무에게 물었다

겨울 언덕 정자나무 아래 섰다
가지들은 휘익휘익 허공을 후리기를
마치 애인의 영혼을 면도날로 긋는 것 같다

나무 위를 맴돌던 되새 떼는
대숲 속으로 내린다, 내리는 것은
기다려주지 않는 사랑 같은 시간의 저녁,
하마 둥치에 기대어 별점을 쳐봄직도 하다

사람들 두엇이 엇 추워! 엇 추워!
연신 추임새를 넣으며 지나간다, 지나가선
다시 돌아오지 않을 이름들이다
더는 길을 찾지 못할 암전의 시간이 오게 되리

피가 거꾸로 솟는 일들을 물으니
둥치에 수많은 옹이를 보여주며, 나무는
세상을 이해하려는 외로운 외침은
살아 있는 자의 특권이라고 했다
불어오는 바람과 새소리를 들으라고 했다

지금은 마을과 길의 고적으로 사라져가는 시간들,
나무와 바람과 그만 돌아서야 할 사랑들을
우듬지에 걸리는 별들에게나 물을까

질문에 더한 질문으로 쌓은 은산철벽이
둑처럼 터져버린 뒤 생긴 듯한
정자나무의 그 텅 빈 구멍에 기대어, 나는
나무의 세월에게 나의 시간을 겨우 묻고 있다

저문 바람의 노래

바람이 쓰다듬는 저물녘의 노래는
시오리 읍내 장에 갔다가 뉘엿뉘엿 돌아오던
아버지의 두루마기 자락처럼 지극하네

불콰해진 강물, 반짝이는 고요를 깨며
누군가를 몰래 호출하는 뻐꾸기

이때쯤 바람은 수수밭 가를 서성거렸지
늘 굽은 등을 보이며 숨어드는
쓸쓸한 꿈들과
짐짓 보람도 없이 저미는 시간의 갈기조차
가만가만 다독이던 바람의 노래

노을빛, 휘파람소리
차마 말할 수 없는 것들은 능선으로 굽이친다네

이제는 노래로도 모자라 노래도 버리고
너무 멀어져서 명치끝만 타는 사랑의
길목 어둡지 않게

하나 둘 별들을 송출하는 분꽃 나팔들

내 늦은 귀가를 조율하던 어머니의 마루에서
오늘은 무엇을 넣고 빼서
처마 끝에 그리움의 풍경을 내다 걸까

제4부

향일암 바위경전

비바람 눈보라가 새긴 경전은 읽을 수가 없다
무늬인 듯 문자인 듯, 앞바다 해조음은 끝이 없다
무수한 네가 다짐 두고 간 사랑의 외곬,
나는 네가 아프다고 가슴 치던 속울음,
무늬로도 문자로도 세우지 않는 아무것들은
밤의 길들을 가득 빛내는 경이의 노래와
새벽바다를 헤치는 붉고 오래된 질문을 품는다

너와 나 사이에 바위경전 문이 있다
얼마의 세월을 갈마들어야 동백 한 송이 길일까

사랑, 풍경소리에 스치다

잊을 만하면 생각나서 사랑한다 사랑한다
고백하고픈 바람을 잘그랑거리고
마당가엔 다만 알알이 새빨간 앵두다

내가 끝내 말하지 못한 말과
늘 닿지 못해 추녀 끝으로 송출해버리는 마음들,
한사코 동박새가 울고 간 날이다

한사코 잃어버린 시간을 발효시킨 소리가
담 넘어 고샅길 돌아 먼 신작로를 멀어져 가면
감나무 잎새들조차 마음 둘 데가 없다

그 뒤에 남는, 그 긴 머리칼의 찰랑거리던 것과
또 그 뒤에 스러지던 고독한 호명,
슬금슬금 어둑발은 도둑 발이다

도둑 발처럼 저물녘 풍경 소리에 스치면
바람 한 자락에도 빨갛게 젖곤 하는 서쪽과
당겨질 대로 당겨진 그리움의 능선,

난 너에게 해줄 말이 있었다
목놓아 울고 싶은 그 다음도 있었다
아직도 네 향기의 맥박으로 튀던 별들이 있다

에로스의 혀

차마 뱉을 수 없는 말이 입는 육체는
타는 듯이 취하는 향기와
터진 석류의 신음이 퉁기는 탄금

한 세계를 발사하는 치명의 눈빛과
붉은 입술의 이승저승
출렁이는 파도의 무한을
하루 더 춤추게 할 시간의 깊숙한 창날

차마 알아들을 수 없는 말의 음부에서
새어나온 고유의 방언들이
처절하게 미끄러지는
모든 색택과 조형의 전위인 달항아리

막 따낸 수밀도를 베어 물며
달고 탄탄한 모든 것의 목록을 해독하는
미뢰, 에로스의 극히 사적인 혀는

뜨거운 왕국의 첫 글자

추문의 고요라면 더 뜨거울 왕국의 화두

승인하라, 시와 나비의 리듬
질정 없는 연주의 알레그로비바체
아편 먹은 듯 번지는 총천연색의 꽃구름

별들이 숨을 쉰다면

　소설가 월러스가 시인 메리 카와 사랑했을 때 얼마나 진지하고 간절했던지, 모든 꽃들이 어떤 꽃 하나에로 환원되는 기분이었지. 그는 자기 팔뚝에 그 꽃 이름과 하트 문신을 했어. 하지만 우리가 사랑을 말하긴 해도 우리는 무엇을 사랑하고 무엇을 사랑이라 하는지? 묻고 묻는 그때, 또 다른 비주얼 아티스트 카렌 그린과의 더욱 진지하고 간절한 사랑은, 그 문신을 처치 곤란한 유물로 만들었대. 이 유물 위에 삼진아웃이라는 문신을 새기고, 그 아래 새로운 꽃 이름과 향기를 추가했지. 그러자 그만 그의 팔뚝은 아연 살아 있는 각주로 변한 거야. 거기에 또 누구누구를 추가한다 한들 무수한 각주와 미주가 본문이 되지 못하는 것처럼, 우리는 인생에서 시간에서 점점 더 멀어질 뿐. 그때 월러스는 나이 마흔 여섯의 나이에 목을 맸다지*

* 숀 켈리의 『모든 것은 빛난다』에서 전용.

개간지

어느 여인을 육년간이나 그리워하다가, 그 여인이 맞선 본 남자의 구애에 채 여섯 시간도 못 되어 넘어가는 것을 보고서야, 그제서야 그는 한번도 구애를 하지 않았다는 사실을 깨달았다. 세월은 빠르고, 여인들은 더 빨리 늙는다.*

그 비자림의 잎새들은 비비비(非非非) 손을 저었다
나는 그 처녀지에 들지 않았다
나는 그 주위만을 서성거렸다
그 골짜기로 안개는 무장무장 피어올랐다
왠지 그 하나쯤은 지켜져야 한다는 생각이었다
싸워서 지켜내야 할 그 무엇이 없다는 건
무엇에든 싸워야만 한다는 사실보다 더 나쁜 것이기에

* 김영민의 『동무론』에서.

네가 보고 싶어 울었다, 고 쓰다

매일 하루 분량의 자신을 창조한다는 작가처럼
매일 하루 분량의 놀빛으로 타는 것들이
늦가을 잔광 속, 억새밭으로 무너져 내린다.
이때쯤 삼류소설 같은 게 드러내는
그 오줌색 갱지 빛깔을 닮은 삶의 내력들은
늦가을 강변, 서녘을 향해 긴 울음의 목을 처드는
황소의 바리톤 하나 정도는 건졌으련만.
네가 보고 싶어 울었다, 는
신파극의 독백 같은 게
더욱 더 절실해지는 인생의 때도 있는 법,
네가 보고 싶어 울었다, 고 쓰는 순간
나는 하루 분량의 고독을 창조한 것일까.
흰 고니는 벌써 돌아와 강물에서
타는 노을을 쪼는 시간, 그 어름을 헤매며
들국 꽃잎 낱낱 세던 한 사람의 울음이 있었다.

길 끝의 말

마음밖에 줄 것이 없어서
더는 붙잡을 수 없던 사랑이 있었다
어떤 빛깔로도 대체하지 못한
그날의 저녁놀빛 엘레지

오랜만에 소식이 닿은 얼굴에
시간이 저지른 일들을 보았다
암병동에 비쳐드는 사양에
어디 앉을 곳도 모르는 채 떠도는 먼지들

늘 무릉에 닿고자 하여 무릉에 이르렀으나
무릉에 계속 머물 수 없는
길 끝의 바람

차마 외면하고 속으로 꾹꾹 삼킨 말들은
어느 바람의 갈기를 잡았을까

산방에 쌓이는 고요

산방에 쌓이는 고요는
쪼르륵 따르는 찻잔에서 번져나는 향기
문 열자 안개비를 헤치고
금목서 천리의 향을 따라 들어서는 사람

산방에 쌓이는 고요는
풀끝의 이슬보석 같은 인연 가만히 배웅하고
모퉁이쯤에서 다시 돌아보니
산길 빈 것의 면적을 넓히는 휑한 적막

이 산과 저 산 사이에 빨랫줄을 걸고
평생을 산전에 엎드린 노인의 산등성이를 닮은
등허리에 비는 또 스멀스멀 내리고

싱그럽고 신령스럽기도 하고
애틋하고 애절하기도 하는 하루를 잘 참다가
한 번씩 터져버리는 멧비둘기의 울음이라니!

산방에 쌓이는 고요는

툇마루에 비쳐든 희부윰한 잔광,
무언가 말하려다 오늘도 다 말하지 못하고
아랫녘 강물로 반짝이는 시계 밖의 시간

은수자의 집

대숲 속의 그 집은 늘 바람이 수런거렸다. 저녁이면 대숲에 내리는 갈까마귀 떼 눈이 수백 수천 노려보는 그 집의 노인은, 대숲그늘에 놓여 금방 웃자라는 채소밭 이랑을 간수하고 나서 구부정한 어깨를 펴곤, 대숲을 향해 무어라 무어라 중얼거린다.

수런거리는 소리가 이만저만도 아닌 그 집의, 가마득한 깊이가 심연이라고 부르게 하는 우물에서 빨래를 쳐대고선, 노인은 또다시 구부정한 어깨를 펴면서 대숲에 대고 한참을 중얼거리면, 수런거리는 대숲이 아연 낮빛 별빛으로 반짝이기도 한다.

저물녘 붉새가 맨드라미 그 귀기어린 꽃밭에 내려서 잠시 잠깐으로 스러지고, 달빛이 대숲에 교교하게 내리는 또 다른 시간의 마당에선, 구부정한 어깨의 노인이 도끼로 팬 장작개비와 중얼거리는 소리가 늘 수런거리는 집 벽에 차곡차곡 쟁여지는, 어쩌면 그 힘으로 버티는 집

새벽 종소리

운보 김기창 화백은 어느 해 법주사에서 하룻밤을 자고 새벽 종소리에 잠이 깨 거닐다가 문득 영감이 떠올라 '새벽 종소리'를 그렸다고 한다. 귀머거리인 그에게 어떻게 종소리를 들었느냐고 물은 사람이 있었겠다. 그러자 보아야만 사물의 실체를 아는 것이 아니요, 꼭 소리를 들어야만 깨는 게 아니라고 했다는 것이니,

울려 퍼지는 새벽 종소리에
산의 푸른 운무가 걷히며 불탑이 드러나고
꾸부정한 노스님은 법당 앞 뜨락을 정갈하게 쓸고
어린잎은 바르르 떨며 이슬방울을 떨구고
활짝 핀 화분의 모란은 향기를 마냥 흘려내는
청량한 마당에 울려 퍼지는 새벽의 경전.

오래된 질문

여수 향일암에 가면 경전바위가 있다
칠판 같은 큰 바위에 무늬인 듯 문자인 듯
비바람이 새긴 빼곡한 말씀들,
주지 스님은 그걸 바위경전이라고 부르는데
절에 오면 추녀 끝 풍경 하나도 오래된 질문이어서
그 바위 아래 새벽같이 가부좌를 튼다
그 바위말씀들을 한번쯤은 깨쳐서
물밀고 물써는 시간의 소리며, 수평선 위로 솟는
붉고 아득한 은현의 대답을 읽으리라
생각이 마음대로 드나들게 내버려두니
한달음에 스친 내 생의 누천년 고독 같은 게
한 점 한 점, 무슨 실록처럼 바위에 각인되고
동박새 울음에는 막 터진 동백꽃 향기,
그만 눈물은 쏟아지고, 머릿속은 빛의 폭죽이다
언제부턴가 얼크러졌을 세월의 난마조차
발아래 광대무변, 보석물결로 반짝인다면
언젠가는 모든 걸 알아볼 인연도 환하겠지
똑딱선이 가로지르는 앞바다는 둘이다가 이내 하나지
지금껏 착취당한 시간에 지불한 현금을 끄고

주지 스님의 설법으로 공양 받은 경전바위,

무늬건 문자 하나로 비바람 한 세계를 일으키고

여기 있거나 없는 바다부처도 버리며

어느새 내가 깨칠 무한 경전으로 바뀌고 있었다

비눗방울과 아이

베로니카, 그녀는 자신의 치맛자락으로 상처 입은 예수의 성면(聖面)을 간절하게 씻었는데 나중 살펴보니 거기에 주님의 모습이 담겨 있었다고 하지.

알시옹, 그 새는 바다에 둥지를 틀고 알을 품어 새끼가 나올 때까지 갖은 파도를 잠재운다고 하지.

불면 한없이 날 것 같다가도 금방 스러지는 비눗방울의 무상함과 그 비눗방울의 영롱함에 취해 자꾸만 불어대는 아이와 같은 진지함으로

물이 말라버린 강의 진흙바닥에서 기어 나와 어떡해서라도 숨을 쉬려고 안간힘을 쓰며, 없는 허파가 생기기를 기다렸던 물고기의 처절하지만, 처절하지만 웅대한 바둥거림으로 선사시대 최초의 파충류가 탄생했다고 하지.

그러나 어떤 시골 읍내의 팔십 살도 넘긴 공무원 퇴물은 젊은 새 군수가 당선될 때마다 영감님 어쩌고 하며 온갖 축하전화질을 해댄다지.

산다는 것은 세상에서 가장 드문 일이다, 대부분의 사람들
은 단지 존재할 뿐이다, 라고 말한 것은 오스카 와일드였다.
그런데 요새 사람들은 사실 너무 살려고 한다.

길의 노래

바람의 갈기를 입은
길의 운명은 떠나야 한다는 것

고샅길의 주먹밥
신작로의 뿌연 먼지
삼거리 주막에서의 탁배기 두어 잔

바람을 거스르는 길 위의
새파란 창공을 뒤덮은 까마귀
떼로 내려앉는 밀밭

지금 여기가 어디쯤인가
길 끝 너머에서도 길은 길일까

꽃 잡고 길을 묻는다거나
달빛에 길을 묻는 날들을 지나
모든 악 중에서 최고의 악이라는
희망, 그 노래와도 함께

길은 바람 이는 갈대숲
빗방울 듣는 강변의 모래밭

길 바깥 것까지 나 홀로 흐르는 꿈

다시 길의 노래

억새풀과 가시나무는 밀림을 짰다
바위너설과 벼랑길은
자꾸만 길 밖의 길을 불렀다
타는 갈증과 함께
어느 풀섶 언저리에서조차 숨 쉴 수 없던 고독,
거기 씨르래기 소리조차 눈물겨웠다

누구도 거치지 않은 길의 두려움,
누구도 다다라본 적 없는 길의 설렘,
달려드는 멧돼지는 농담이던가

흘러내리는 카메라와 함께 계곡물에 휩쓸려버린
한 사진작가의 찬탄으로 열리던 노을,
그 노을을 모아서 빨간 사프란 꽃을 만드는
이역아이의 까진 열 손톱처럼
거저 비껴가는 게 없는 처처의 구렁에도
내겐 스틱 한 자루 없었다

영혼을 베어버린 면도날, 사랑을 외면하는 시선과

고단을 뒤집어쓴 남루, 혼자 넘는 자의 업보와
더는, 가 닿아야 할 곳에 대한 발고된 의심들,

짐짓 별을 점등하는 밤은
외로웠다, 그 아래서 부르는 시간의 노래는
처연했다, 새에게 둥지를 내주곤
새의 날개를 빌린 나무의 유목과도 같고
장미 향기의 붉은 진동을 읽는 미학 같기도 하던

길은 늘 가 닿지 못하는 길 바깥들,
가 닿아도 머물지 못하는 길 안쪽들,

조금은 덜 외롭고
조금은 덜 미안하기 위해서는
너무 긴 어둠과 짧은 빛이라도 좋았다
읽혀지기보다 쓰여지기 위해 있다는 소설처럼
삶은 헤아리기보다 길 가는 자의 눈물이었다

파국의 독서

　남아수독오거서(男兒須讀五車書)라 했으니, 한세상 남의 말 듣기로는 이 말이 처음이자 마지막이다. 그리하여 내 또한 수천여 권은 독서 했으니 그 속에서 고추 모종 놓을 텃밭 한 뙈기라도 일궈냈던가. 늘 읽고는 하는 것이 기뻤고 황홀했고 행복했고, 늘 고독한 바로써 나의 미급은 서럽고 분하기도 했던바, 책의 숲에서 책만 읽고 정작은 읽지 못하여 풀끝 이슬 하나에 다친 마음을 싸맬 대책은 없는가. 대책 없는 독서로써 무론 입신양명을 꿈꾼 바 없으니 종국엔 나를 알고 천지를 읽고자 했던 일. 묘비명 한 줄로 요약되는 삶을 피하여 이리 궁리 저리 침잠으로 서리 때를 나는 기러기에게도 오늘의 독서를 묻노니, 서중묘벽(書中妙闢)은 노래인가 신선이던가!

파국의 문장

　마침내 한 사람의 크기, 한 사람의 천지의 크기는 그 사람의 언어의 크기라는 사실에 봉착하고선 모름지기 뒷산의 갈매나무부터 앞내의 버들치까지 나무와 꽃과 새의 이름을 몽땅 외기도 했었다. 무론 동서고금의 웬만한 시와 서사는 필사의 굴욕까지 삼켜가며 문장수업 너머 무자서(無字書)의 신령 속까지 들어가 보곤 했다. 하지만 나의 성마른 글들이 나의 무지렁이 인생이나 드러낸 꼴이 되어 버린 바의 어리석음으로써, 그마저 아니었으면 이만큼의 사람 노릇인들 했을까 자위해봐야 쓸모라곤 있는가. 무릇 화탕지옥 같은 데라도 좀 빡세게 댕겨와서야 비백(飛白)의 터치라도 해볼 터, 번쇄에 적신 붓으로 나뭇가지 위의 새 그림자 한 줄이나 치긴 칠 것인가.

시 세공사가 조탁한 고독의 청보석들

고진하 시인

1. 언어미학의 숭고에 도달하기 위한 독학의 신화

정초에 누가 이런 벽돌을 선물로 보냈을까요? 대문간에서 택배로 받은 우편물을 건네주며 옆지기가 깔깔거렸다. 설마 누가 벽돌을…? 종이봉투에 싸인 걸 들어보니 과연 벽돌처럼 무거웠다. 가위로 봉투를 찢고 열어보니 정말 벽돌에 버금갈 만큼 두꺼운 책,『시를 읊자 미소 짓다』. 고재종 시인이 보내온 뜻밖의 선물이었는데, '선문답과 현대시의 교감'이란 흥미로운 부제가 붙어 있었다.

고재종 시인은 이미『시간의 말』(2020),『감탄과 연민』(2021) 같은 시와 관련된 명품 에세이를 선보인 적이 있었는데, 참 부지런도 하지 또 1년 만에 불교와 관련된 전작 에세이집을 펴낸 것. 과문한 내가 알기론 이런 시도는 아마도 처음일 듯. 나와 함께 목차를 훑어보고 있던 옆지기가 내 손에서 냉큼 책을 빼앗아 가며 말했다. 요 책은 나한테 딱인데요. 마음공부 할 책이 없어 심(心)다공증이 생길 지경인데….

　이러구러 옆지기가 마음이 헛헛했던지 심다공증이란 없는 말까지 뱉어 내며 책을 낚아채 가길래 옴니암니 딴지 걸지 않고 쭉 지켜보고 있었는데, 그녀는 매일 20쪽, 30쪽씩 책상 위에 꼿꼿이 앉아 맘에 드는 구절을 필사까지 하며 공들여 읽는 것이 아닌가. 그러더니 한 달만에 일독을 끝내고 나서 이 책은 다시 읽을 가치가 충분하다며 지금껏 애지중지 붙잡고 있다. 마침 나도 최근에 불교 초기 경전에 관심을 갖고 있던 터라 시인의 불교적 사유와 현대시가 어떻게 포개지고, 그것이 일상에 짓눌려 보지 못하는 어떤 삶의 다른 층위를 보여줄까 궁금해 머리맡에 두고 틈나는 대로 읽고 있었다.

　뜻밖의 선물을 받고 난 얘기가 조금 길어졌지만, 사실 나는 고재종의 시세계를 엿보기 전 시인의 독학의 내공이 참 각별하다는 걸 말하고 싶었다. 꽤 여러 해 전 나는 왕댓잎 서걱거리는 담양의 아담한 시인의 별서에서 두세 번 묵은 적이 있었다. 리모델링을 해서 그런지 시골집치고는 서재나 거실이 작지 않았는데, 사방 벽이 온통 책으로 둘러싸여 있었다. 시집이나 소설은 물론이고 숱한 인문학 고전들과 출간된 지 얼마 되지 않은 역사, 예술, 철학, 동양사상, 종교 등의 책들이 겹겹이 쌓인 방이 마치 작은 도서관을 방불케 해, 궁금증을 참지 못하고 불쑥 물었다. 웬 책이 이렇게 많소? 고재종 시인은 빙빙 돌려 말하는 법이 없다. 제가 콤플렉스가 많아서 그래요. 중학교 졸업장밖에 없잖아요. 이런, 괜히 물어보았구나 싶었다.

　이번 시집 끝자락에 실린 「파국의 독서」라는 시를 보면, 시인이 젊

은 날 학벌 콤플렉스 같은 것에 다소 시달린 적이 있었는지는 모르
지만, '나를 알고 천지를 읽고자 하는' 남다른 독서열이 오히려 강렬
하게 작동하고 있었음을 알 수 있다.

남아수독오거서(男兒須讀五車書)라 했으니, 한세상 남의 말 듣기로
는 이 말이 처음이자 마지막이다. 그리하여 내 또한 수천여 권은 독서했
으니 그 속에서 고추 모종 놓을 텃밭 한 뙈기라도 일궈냈던가. 늘 읽고는
하는 것이 기뻤고 황홀했고 행복했고 (…) 책의 숲에서 책만 읽고 정작
은 읽지 못하여 풀끝 이슬 하나에 다친 마음을 싸맬 대책은 없는가. 대책
없는 독서로써 무론 입신양명을 꿈꾼 바 없으니 종국엔 나를 알고 천지
를 읽고자 했던 일.

- 「파국의 독서」 부분

'남아수독오거서'에 집요하게 매달린 것이 보통 사람들이 꿈꾸
는 '입신양명'이 아니었다는 진솔한 고백이 가슴을 뭉클하게 하
거니와 『고요를 시청하다』라는 시집에서 이시영 선생과 연이 닿
아 시작에 몰입하게 된 사연이 담긴 「수정돌」이라는 시를 읽고
나면, 나 역시 십 년 세월을 독학하여 간신히 시인으로 데뷔했기
때문에 고재종 시인이 독학으로 매달리던 습작 행위가 "아주 어
릴 때/ 화단에다 몰래 심어 놓고 새벽마다 물을 주던 수정돌" 같
았다는 표현에 깊이 공감할 수밖에 없었다. 하여간 그렇게 독학
으로 언어 미학의 숭고 – '한 사람의 천지의 크기' – 에 도달하기
위한 시인의 정성이 얼마나 극진했는가를 알 수 있다.

마침내 한 사람의 크기, 한 사람의 천지의 크기는 그 사람의 언어의 크기라는 사실에 봉착하고선 모름지기 뒷산의 갈매나무부터 앞내의 버들치까지 나무와 꽃과 새의 이름을 몽땅 외기도 했었다. 무론 동서고금의 웬만한 시와 서사는 필사의 굴욕까지 삼켜가며 문장수업 너머 무자서(無字書)의 신령 속까지 들어가 보곤 했다.

- 「파국의 문장」 부분

'나무와 꽃과 새의 이름을 몽땅 외'우는 것은 물론 '무자서의 신령 속까지 들어가 보곤 했다'는 시적 열정에 이르면, 고재종에게 시쓰기는 어떤 신화학자의 말처럼 자기만의 희열[bliss]을 줄기차게 따라가는 도정이었겠구나, 그것이 곧 시인의 인생 신화를 만들었겠구나 하는 생각이 든다. 그동안 그가 펴낸 시집들을 읽으며 태작을 거의 발견할 수 없는 것은 시창작의 희열이 지속되었기 때문이 아니겠는가. 그런 희열이 사라지면 창조의 에너지는 분출되지 않기 때문이다.

고재종 시인도 이제 이순을 훌쩍 넘었지만, 1부의 시편들을 보면 여전히 창조의 희열이 생생하게 살아 있음을 느낄 수 있다. 특히 나는 '혼자 넘는 시간'이라는 부제가 달려 있는 1부의 연작시들을 주목해 읽었는데, 서둘러 말하자면 이 시편들은 보석을 조탁하는 세공사의 면모가 잘 드러나 있다. 그러니까 시 세공사가 조탁한 그것의 이름은 고독이라는 청보석들이라 할 수 있으리라.

「바람과 함께 숲길을 걷는 일에 대하여 : 혼자 넘는 시간 14」에 보면 "내가 삶에서 유일하게 배운 것은 고독이었다"고 고백한다. 그러니까 시인은 '혼자 넘는 시간'을 즐기면서 삶에서 유일하게 배운 고독을 적극적으로 활용하는 여유로움을 보여준다. 미국의 시인이며 사상가인 에머슨이 "고독은 우주를 끌어안기 위한 필요조건"이라고 했거니와 시인은 고독을 통과하면서 자기 존재의 진보와 확장을 꾀한 것. 이를테면 고독을 통해 우주를 보듬어 안는 깊은 시심을 보여주는데, 시인은 고독 속에서 여문 사랑을 통해 '나보다 큰 나'를 만나고, 고독 속의 깨우침을 통해 '모든 사람은 반드시 죽는다'(『숫타니파타』)는 이치를 알아 죽음으로 인한 슬픔과 괴로움에서 벗어나게 된 것이 아닐까. 이처럼 혼자 있는 고독의 시간은 자기 존재의 확장만 아니라 시세계의 확장도 자연스레 담보하고 있는 듯싶다. 독자들이 이번 시집을 읽고 나면, 자신이 보다 거대하고 광활한 우주의 고독을 나누고 있음을 발견하게 될 것이다.

혼자 있는 시간, 해거름의 방죽은 고요를 미는 바람과 떨리는 물결의 한량없는 조화 속이다. 그 속을 들고 나는 물총새며 저만큼의 산 위로 번지는 황혼의 자지러짐이 오늘의 만찬에 참예하는 것을 막을 도리는 없다. 내겐 거꾸로 든 산영의 그윽함만치나 시간도 잠기는 침묵을 이히는 이때쯤, 또 나는 방죽가에 일제히 나팔을 치켜든 노란 달맞이꽃 떼의 그 환한 나라에 닿기를 무척은 바라기도 했던 것인가. 그윽한 것과 환한 것이 애저녁인 양 섞이는 풍경이 내 속으로 들어와 나를 밝힌다. 나는 오늘도 푸른 장미라거나 붉은목풍금새라거나 그 꿈으로도 환치되지 않는 노래들과 마주하는, 다만 혼자 있는 시간이라네.

- 「푸른 장미의 노래: 혼자 넘는 시간1」 전문

이 시집의 서시 격에 해당하는 아름다운 시로 '그윽한 것과 환한 것이 애저녁인 양 섞이는 풍경'의 힘은 시인을 '거꾸로 든 산영의 그 윽함만치나 시간도 잠기는 침묵을 익히게' 하고, '방죽가에 일제히 나팔을 치켜든 노란 달맞이꽃 떼의 그 환한 나라'를 갈망하게 하는 데, 결국 그 힘은 '내 속으로 들어와 나를 밝'혀주어 시인을 자족의 세계로 이끈다. 시인의 내부를 밝혀주는 그 풍경의 광휘는 세상에 존재하지 않는 '푸른 장미라거나 붉은목풍금새라거나 그 꿈으로도 환치되지 않는 노래들과 마주하는,' 혼자 있는 시간 속으로도 스민다. 포르투갈 시인인 페르난도 페소아가 "시는 내가 홀로 있는 방식"이라고 했는데, 고재종 시인은 홀로 있는 삶의 방식을 적극 긍정하면서 자신이 살아온 시간에 대한 깊은 사색을 통해 보편적 삶의 이치를 감각적이고도 웅숭깊은 서정으로 빚어내고 있다.

2. 마음의 덫을 벗고 누리는 고요와 기쁨

1부의 시편 중에서 시간의 성찰과 연결되고 있는 '고요' 시편들은 내 마음에도 잔잔한 기쁨과 평화의 파동으로 전해졌다. 바로 이전에 낸 시집 가운데 「고요를 시청하다」를 다시 읽어보자.

작년에 담가둔 송순주 한 잔 생각나는 건

이런 정오, 멸치국수를 말아 소반에 내놓던

어머니의 소박한 고요를

윤기나게 닦은 마루에 꼿꼿이 앉아 들던

아버지의 묵묵한 고요

초록의 군림이 점점 더해지는

마당, 담장의 덩굴장미가 내쏘는 향기는

고요의 심장을 붉은 진동으로 물들인다.

- 「고요를 시청하다」 부분

    추억 속 '어머니의 소박한 고요'와 '아버지의 묵묵한 고요'를 떠올린 시인은 담장의 덩굴장미가 내쏘는 향기에서 '고요의 심장을 붉은 진동으로 물들'이는 걸 느낀다. 이런 생동하는 감성이라면 고요의 씨는 마르는 법이 없으리라. 「고요를 배우다: 혼자 넘는 시간 15」라는 시에서 "담장의 능소화가 염천을 탐할 때, 하늘 한쪽이 출렁이다 잠시 자물 쓰는 고요를 본다"고 노래한다. 이 고요를 보고 난 후 시인은 "마음조차 해석하려 드는 마음의 치열한 덫을 벗"었다고 덧붙이는데, 평소 마음공부를 하면서 내 나름으로 터득한 것은 마음이 무엇인지 알려고 애쓰지 말고 그걸 어떻게 쓸지 생각하는 것이 지혜로운 일이라는 것. 그걸 잘 쓰면 낙원을 맛볼 수 있고, 그걸 잘못 쓰면 지옥을 맛보게 될 테니까. 결국 시인이 '마음의 덫'를 벗었다는 건 변화무쌍한 마음의 작용에서 해방되었다는 말이 아니겠는가. 이런 마음의 작용에서 해방감을 맛보았기에 풍경이 노래와 하나되는 희열을 노래할 수 있는 것이 아닐까.

날것 그대로의 나와 갖가지 양념으로 요리된 나의 경계마저 지우다
보면, 어느덧 저녁이 연주하는 노래가 흐른다. 때론 뜨거운 차향 속에서
크레센도로 끌어올리는, 나 자신이 된 기쁨들을 톺아 내는 연주들. 지리
산의 어느 숲속, 소나무가 둘러친 연못 속의 물고기는 소나무 그림자를
제 몸의 무늬로 지닌다지. 그처럼 시간 밖의 풍경으로 일렁이다가 반짝
이다가 젖을 대로 젖는 나의 심금과 또 궁구는, 나는 나도 아닌 채로 시
방은 치자 향기가 번지는 고요에 든다.

– 「시간의 무늬: 혼자 넘는 시간2」 부분

　본래의 나 – '날 것 그대로의 나' – 와 융 심리학에서 말하는 사회
적 인격인 페르소나인 나 – '갖가지 양념으로 요리된 나' – 사이의
경계마저 지우고 나면, 시인은 그 보답으로 '저녁이 연주하는 노래'
를 듣는다. 그것이 새의 노래든 바람의 노래든, 그 노래는 '나 자신이
된 기쁨을 톺아 내는 연주들'인데, 이 기쁨은 단지 시간 밖의 풍경이
거저 가져다주는 선물이 아니라 '마음의 덫'을 스스로 벗겨내고 자유
로워진 시인의 영적 내공에서 비롯된 기쁨의 선물이 아닐까. 그렇기
에 시인은 '나는 나도 아닌 채로 시방은 치자 향기가 번지는 고요'에
들 수 있는 것. 이런 고요의 변주는 「장미와 롤리타」라는 작품에도
나오는데, 시인은 그 노래를 '고통이 부른 황홀'이라 명명한다.
　그것은 이번 시집의 제목이 된 「독각: 혼자 넘는 시간 9」란 시에서
도 돌올하게 드러난다.

몇 날 며칠을 두고 경향 간에 기별 한 점 없네. 한때는 고독의 용기를 꿈꾸었으니 푸른 안목을 반짝일 만도 하네. 반짝이는 건 지난봄 감꽃 졌던 자리에 알알이 매단 주먹송이들, 오늘의 일기는 쾌청하네. 누가 시키잖아도 자가 격리된 날들의 반복이라네. 이때쯤 죽순장아찌에 잡곡밥 먹는 점심의 습관은 망각을 이겨내는 지복이 아니던가. 산방에 들락거리는 바람엔 뼈를 말리고, 동박새거건 저 울고 싶을 때 와서 울고들 가라지. 다만 괴로움의 민낯 같은 건 작년 폭우에 생채로 찢긴 석류 가지들. 정색하고 보면 끔찍한 얼굴일진대, 남은 가지에 터진 석류 속 그 맑고 붉은 보석들은 가령 독각의 사리라고나 할까.

- 「독각: 혼자 넘는 시간9」 전문

고재종 시인은 '독(獨)' 전문이다. 학문도 창작도 '독'으로 점철되어 있고, 이제 종교적 깨달음마저 '독각(獨覺)'이다. 무릇 '독'의 삶이란 스승이란 나침반 없이 혼자 인생길을 헤쳐 나가는 것인데, '고독의 용기'가 없으면 불가능한 일. 아마도 시창작에서 홀로 이룬 나름의 성취가 독각의 용기를 북돋우어 주었을까. 시 끝부분에 폭우에 찢긴 석류 가지들이 나오고 '끔찍한 얼굴'인 터진 석류가 등장하는데, 그때 석류는 세속에서 고독하게 수행의 길을 걸어온 시인 자신의 아픔을 잘 드러내는 상징물 같다는 생각. '터진 석류 속 그 맑고 붉은 보석들'을 일컬어 시인은 '독각의 사리'가 아니겠냐며 자긍심에 찬 '푸른 안목'을 내비친다. 굳이 코로나 시절을 염두에 두지 않더라도 '자가 격리된 날들의 반복'이란 표현은 자기 자신에게 엄격한 수행자의 모습을 연상시키기에

충분하지 않은가.

　무심코 숲길을 걷는데

　문득 순백의 은종이 조랑조랑 달린

　은방울꽃 천사가 눈앞이다

　바람자락에 나뭇잎 일렁이듯

　나는 목적 없이도 생 하나로 느껍다

　여기의 나, 저기의 나에게

　고라니의 순한 눈망울

　위의 나, 아래의 나에게

　숲을 쪼는 딱따구리 소리

　지금의 나, 내일의 나에겐

　산영이 잠기는 푸른 호수

　은방울꽃 맑디맑은 향기가

　코끝에 스치는, 바람 부는 날

　여기 온통 생생한 나는

　나 없이도 모두 나다

- 「은방울꽃 어사화」 부분

무심코 숲길을 걷다 만난 은방울꽃 천사 앞에서 시인은 '나는 목적
없이도 생 하나로 느껍다'고 노래한다. '느껍다'는 말은 어떤 느낌이

마음에 북받쳐서 벅차다는 것인데, '목적 없이 산다'는 건 수행자의 말투다. 중세 수도승인 마이스터 엑카르트의 말투도 그렇다. "어떤 사람이 천년을 살면서 '왜 사는가?'라는 물음을 던진다면, 유일한 대답은 '나는 살기 위해서 산다'일 것이다." 아무런 목적 없이 '나는 살기 위해서 산다'일 때 '나 없이도 모두 나'인 자연과의 생생한 만남이 이루어진다.

3. 초록의 온도를 품은 경외와 사랑의 문장

이런 적극적 인식이 부족하면 자연은 인간의 욕망과 착취의 대상으로 전락하고 만다. 그런 사람에게 자연은 경외의 대상이 아니다. 경외의 대상이 아니므로 "여기의 나, 저기의 나에게/ 고라니의 순한 눈망울/ 위의 나, 아래의 나에게/ 숲을 쪼는 딱따구리 소리"는 들리지 않는다. 고라니나 딱따구리 같은 동물들을 지구별 동반자로 여기지 않기 때문이다. 우리가 대자연과 교감할 수 있는 놀람의 감각을 잃어버리면 하늘을 우러러보는 경외심과 욕망 사이에서 바장거리게 된다. 유대 철학자인 아브라함 요수아 헤셸의 말처럼 "우러러보는 능력을 위축시키는 때 우주는 당신 앞에 하나의 장터가 되고 만다." 자본주의라는 맘몬이 아가리를 열고 전 세계를 꿀꺽 삼켜 버린 오늘, 하나뿐인 지구도 장사꾼들 호객 소리 요란한 저잣거리로 변해 버리고 말았다.

텃밭의 고춧대를 좀 손보아도 나는 한가하네. 뒷산 숲에서 나온 고라니가 그 초록의 전언을 마구 퍼 나르는 산천경개의 광휘라니! 이렇게나 무궁한 마음이 드는 날이면 매실주 한 잔에도 잎새들 반짝 뒤집는 일조차 무진하다네. 나는 나를 알고자 책을 읽고 나를 찾고자 시 몇 줄을 썼으나 이쯤 해서는 낙과의 청시 한 톨만 하겠는가. 다만 그 시구들이 어느 날 진리의 상형문자를 나툴 때까지, 반짝이는 초록과 함께 우주의 피륙을 짜는 일에 게으르지 않았으면 하네.

- 「초록 고요와 함께: 혼자 넘는 시간 13」 부분

우러러보는 능력을 상실해 온통 세상이 저잣거리로 전락해 버린 냉혹한 세상이지만, 한가에 처해 자연과의 접촉을 늘리며 거기서 찾아낸 시인의 문장들은 한 줄 한 줄 초록의 온도를 품고 있다. 그것이 생명의 심장을 맥박치게 하는 그런 온도를 품고 있는 것은 '나를 알고자 책을 읽고 나를 찾고자 시'를 쓰는 '무궁'한 마음 때문일 것이다. 시인은 그 시구들로 '진리의 상형문자를 나툰'다고 한다. 이 대목에서 우리는 시인이 매우 종교적이라는 걸 알 수 있다. 무릇 종교성이란 신성의 경험을 말하는데, 시인이 '잎새들 반짝 뒤집는 일'조차 '무진'하다고 말할 때, 그것은 그가 존재의 '이면'을 엿보았기 때문이며, 이때 "그의 언어는 신비주의자들의 언어처럼 신에게 몸을 맡긴 사랑에 빠진 사람의 언어"(옥타비오 파스, 『활과 리라』)에 다름 아닌 것이다. 그 언어는 침묵에서 겨우 터지는 소리인데, 여수 오동도에서 동백꽃 터지는 소리를 듣고 쓴 시 「환한 이승」에 보면, "그 붉은 사자후를 형형 토"할 때, "노래라면 노래 아닌 것이 없는 날도 있으니/ 내 먼저 사랑을 고백해본 적 없는 나도 터진다"고 고백한다. 이 시구는 역설적이지만, 사랑에 빠진 사람의 언어가 아닐 수 없다.

　죽음에 대한 깊은 사색이 담긴 시 「고양이 묻어둔 자리에 봄까치
꽃: 혼자 넘는 시간 8」 역시 유한한 생명에 대한 사랑의 넉넉한 품을
잘 보여주는 아름다운 작품이다.

> 　우리 몸의 세포는 날이면 날마다 죽고 다시 생기며 7년마다 완전히 교
> 체된다고 한다. 우리는 우리 몸 안에서 죽고, 그 죽음을 넘어 죽음으로
> 다시 사는 것이다. 그 죽음은 우리가 끝까지라도 사수(死守)할 것을 사
> 소(些少)한 것으로 만든다. 그 죽음은 고통을 탈출하는 것이 아니라 고
> 통으로 삶을 피운다. 그 삶은 그래서 지난해 난산 끝에 죽은 고양이 묻어
> 준 자리에 봄까치꽃을 가득 피우기도 한다.
>
> 　　　　　　　- 「고양이 묻어둔 자리에 봄까치꽃: 혼자 넘는 시간 8」 부분

　모름지기 죽음은 인간이 가장 두려워하는 것. 그래서 인간은 누구
나 죽음을 피하고 싶어 한다. 인도의 고전인 『마하바라타』에 나오는
유디슈트라는, 인생에서 일어나는 일들 가운데 가장 이상한 일은 자
기 주변의 사람들이 죽어가는 것을 보면서도 자신은 죽을 거라고 생
각하지 않는 것이라고 했다. 평균 수명이 과거 어느 때보다 길어진
오늘날 "사람들은 사실 너무 (오래) 살려고 한다."(「비눗방울과 아이」)
사실 죽음은 우리 밖에 있는 것이 아니고 우리 자신이다. 죽음이 우
리 자신이라는 말은 죽음이 삶 자체에 포함되어 있다는 것. 따라서
"그 죽음은 우리가 끝까지라도 사수(死守)할 것을 사소(些少)한 것으

로 만든다." 인간은 죽지 않기 위해 별별 짓을 다하지만 끝내 한 줌의 티끌로 화하고 만다. 여기서 우리는 죽음의 문제에 대한 시인의 탁견과 마주친다. "죽음은 고통을 탈출하는 것이 아니라 고통으로 삶을 피운다." 이때 죽음은 앞으로 나아갈 수 있도록 해주는 열려 있는 공간, 곧 빔이다. 그 빔의 자리, 즉 "난산 끝에 죽은 고양이 묻어준 자리에 봄까치꽃을 가득 피우기도 한다." 죽음을 존재의 끝으로 보는 서양사상과는 달리 시인은 죽음을 우주생명의 순환질서 속에서 보고 있는 것이다.

4. 타인의 아픔과 공명하고 삶을 고양하는 눈물의 시심

이처럼 인간이 궁극적으로 고뇌하는 죽음의 문제까지 대자연과 소통하면서 사소한 사물이나 일에 얽매이지 않고 세속을 벗어난 달관의 지경에 이르렀지만, 시인은 고통받는 이웃의 눈물과 슬픔을 외면하지 않는다. 「얼굴 없는 인간」, 「순한 황소」, 「허공」, 「일귀신 장전댁」, 「현장 소장 미장이 신충섭」, 「여인들의 먼 데」 같은 시편들을 보면, 사회에서 소외되어 인간 대접을 받지 못하는 이들의 고통과 그런 고통을 견디지 못해 자기 목숨을 스스로 버리기도 하는 아픈 현실을 남도 특유의 유장한 가락으로 담아내고 있다.

여기서 문득 사슴의 울음을 뜻하는 녹명(鹿鳴)이란 말이 떠오르는데, 사슴의 울음은 구순하다고 할 수 있다. 사슴이란 동물은 먹이를 발견하면 다른 동료에게 자기가 발견한 먹이가 있는 장소를 알려주기 위해 운다고 한다. 이처럼 먹이를 동무들과 사이좋게 나눠 먹기 위해 우는 동물은 사슴이 유일하다고.

> 육십여 평생 아파트 철근 공사를 한 그는
> 육십여 평생 소유해 보지도 못한 아파트 옥상에서
> 자기가 이 세상에 더는 필요치 않다는 생각과
> 자기의 삶에 더는 의미를 느끼지 못한다는 것을 깨달았다
> 파킨슨병과 치매를 앓던 중 잠깐 정신이 들었을 때
> (…)
> 그가 현장에서 돌아와 씻지도 못하고 엎어지던
> 고독으로 너덜너덜해진 시트 위에, 나는 슬픔까지 더해서
> 이제 될까 말까 한 사랑 행위에나 골똘한 사람처럼
> 아직도 나를 벗어나지 못하는 나를 울어댈 때
> 잠깐 정신이 든 순간, 그는 자기를 벗는 용기를 내버렸다
>
> ─「그의 양식은 고통이었다」 부분

시인은 한 건설노동자의 고통스런 삶에 자신의 삶을 포개며 그 고통을 외면하지 않으려는 눈물겨운 몸부림을 보여준다. 이 땅의 바닥을 기면서 살아가는 기층민들의 고통을 모른 체해선 안 된다는 것. "네가 보고 싶어 울었다, 고 쓰는 순간/ 나는 하루 분량의 고독을 창조한 것일까."(「네가 보고 싶어 울었다, 고 쓰다」) 그래서 시인은 사슴처럼 우는 것. 녹명은 깨어 있는 시인의 울음이며 천지만물을 잉태한 조물주의 울음을 상징한다. 타자의 기쁨을 같이 기뻐하고 타인의 슬픔을 같이 슬퍼하는 것을 자비라 하는데, 이런 자비의 마음은 곧 공

감의 무한한 확장이라 할 수 있으리라.

「날다람쥐」란 시에도 보면, 나이 팔십 줄의 시골 아낙이 산에서 뜯어 온 나물을 삶아 집집에 돌리는 발이 빨라 '날다람쥐'로 불리는데, 뒷집 상노인 집에도, 옆집 일촌댁에도, 앞집 귀농인에게도 돌리는 아름다운 나눔의 모습이 담겨 있다. "그러고도 남는 게 있어 읍내 장에 가는, 노인의 굽은 등짐 위로 불여귀, 불여귀 울음 하염없다."고 노래한다. 여기서 불여귀는 두견과의 새 이름. 나는 불여귀라는 말을 몰라 사전을 찾아보고서야 알았는데, 이번 시집을 읽는 동안 낯선 사물들의 이름이 나올 때마다 사전 신세를 톡톡히 졌다. 앞서 언급했지만, '한 사람의 크기, 한 사람의 천지의 크기는 그 사람의 언어의 크기'라고 했던 시인은 낯선 언어를 발굴하여 거기에 뜨거운 숨결을 불어넣어 서정의 생동과 진경의 세계를 펼쳐 보이고 싶은 욕망은 여전한 것처럼 보인다.

초록의 피 낭자한 대지의 열기에도
나무는 한결같이 단순하고 눈부시게
숲을 흔드는 라일락의 기적을
베어도 베어도 다시 솟는 불가사의를
이제 가만두고 보라고 한다

우듬지로 솟구치는 신의 푸른 분수
우듬지 위로 흐르는 구름의 자유 항로
저녁이면 반짝이는 별들의 노래와 함께

기적이 오는 것을 보라고

기적은 이미 네 곁에 머물러 있음을 보라고

나무는 감히 쓰러질 줄을 모르는

고요하고 찬란한 대지의 초록기둥이다

- 「대지의 초록기둥 노래」 부분

　우리는 어린 시절부터 수직으로 솟구치는 나무들을 보고 자라며 은연중에 우리 삶을 고양(高揚)하는 법을 배웠지만, 시인의 언어가 생동하는 감성을 갖도록 부추겨 주는 것도 나무가 아니던가. 나무들은 사람보다 긴 시간을 살지만 그것이 전부는 아니다. 나무는 다른 시간을 산다. 시인이 만난 '대지의 초록기둥'인 나무들도 그렇다. 나무들은 '베어도 베어도 다시 솟는 불가사의'의 시간을 산다. 사람이 야생에, 나무들에 매혹되는 것도 그 다른 시간을 사는 것처럼 보이는 '기적' 때문이다. 시인은 그 "기적이 오는 것을 보라고/ 기적이 이미 네 곁에 머물러 있음을 보라고" 노래한다. 물 위를 걷는 것이 기적이 아니라 "감히 쓰러질 줄 모르는/ 고요하고 찬란한 초록기둥"이 우리 곁에 머물러 있음이 곧 기적이라는 것.

　모름지기 시인이 해야 할 가장 소중한 일은 이 평범한 듯이 보이는 '우듬지로 솟구치는 신의 푸른 분수'의 기적을 손가락으로 가리키는 일이 아닐까. 예술이 그렇지만 시의 임무 역시 정신적, 정서적 고양(高揚), 즉 사람들의 정신이나 기분을 한껏 드높여주는 것이니까. 「연두와 초록 사이: 혼자 넘는 시간 6」이라는 시에서 '연두 초록'이 타오르는 들판을 보여 주면서 시가 감당해야 정신적, 정서적 고양의 임무를 '가장 처절한 사랑의 강령'이라고 노래한다. 왜 사랑의 강령이 그렇게 처절한 걸까. 우리를 짓누르는 지상의 무거운 짐으로부터 자유로워져야 하고, 창조의 힘을 가져다주는 고독의 시간을 피하지 않고 견뎌야 하고, 대자연의 작은 일부일 뿐이라는 겸허한 자각으로 이 비루한 세상에서 우리의 삶을 고양시키는 임무를 실천해야 하기 때문이 아닐까.

하지만 시인은 '으뜸이 되는 큰 줄거리'인 강령에도 얽매이지는 않는 것 같다. 시인의 정신이 그만큼 유연하고 가벼운 것. 시인은 마당을 선회하고 장다리꽃밭을 나풀거리던, "그 어린 경이가 반짝이는 세계를 좇다가 설핏 졸곤 했는데, 깨어 보면 어깨에 앉아 꿈을 잣던 나비"(「호접몽」)의 가벼운 몸짓을 보고 있기 때문이다. 더욱이 마주치는 사물을 보면 생전 처음 보듯이 질문하는 시인은 "질문에 더한 질문으로 쌓은 은산철벽이/ 둑처럼 터져버린 뒤 생긴 듯한/ 정자나무의 그 텅 빈 구멍에 기대어"(「겨울 정자나무에게 물었다」) 있기 때문이다. 그 텅 빈 구멍은 시와 노래와 우리 마음이 싹트며 시가 샘 솟는 자리가 아니던가.

이제 청탁받은 지면이 넘쳐 어줍잖은 글을 마무리해야겠다. 고재종 시인은 첫 시집 『바람이 부는 솔숲에 사랑은 머물고』부터 하늘과 땅, 인간과 뭇 생명의 상호연관성에 주목하는 생태 감수성이 충만한 시를 써왔는데, 이번 시집에서도 "나만을 위해 예비된 날의 화목제를 집전해 주는 초록 사제들"(「연두와 초록 사이: 혼자 넘는 시간 6」)에게 그 공을 모두 돌리고 있다. 화목제는 신에게 동물을 제물로 바쳐 신과 사람과의 관계를 화목하게 하려고 행하던 고대인들의 제사의식

인데, 고재종 시인이 화목제라는 말을 굳이 소환한 이유는 자연과의 화목, 그리고 자신과의 화목을 강조하고 싶은 것이 아닐까. 이처럼 자연과는 물론 자기 자신과도 화목을 이룬 서정적 기품과 광채로 빛나는 시세계를 선보인 고재종 시인은, 신의 몸이기도 한 자신의 몸을 알뜰살뜰 보살펴 "한 번도 노래해 본 적 없는 생의 고갱이 같은 시구들이 (…) 초록바람으로"(앞의 시) 펄럭이는 시인의 자리를 오래도록 지켜주기를 바라는 것이 나의 희구만은 아닐 것이다.